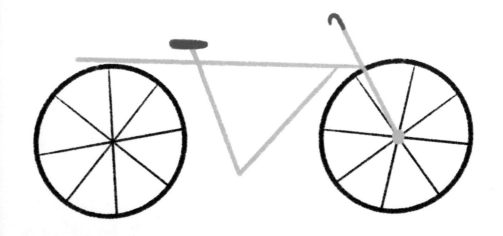

¡Plántalo tú!

un alfabeto humanista

Ángeles Quinteros
Valentina Insulza

Ilustraciones de
Sandra Conejeros

Planetalector

"Donde haya un árbol que plantar, plántalo tú. Donde haya un error que enmendar, enmiéndalo tú. Donde haya un esfuerzo que todos esquivan, hazlo tú. Sé tú el que aparta la piedra del camino".

Gabriela Mistral

E F G H

M N Ñ O

T U V W

Para descubrir este libro

En las siguientes páginas encontrarás algunos símbolos para pasearte por este libro:

Datos para profundizar en cada palabra.

Preguntas para ti y quienes te rodean.

Rutas de lecturas propuestas.

* Definiciones.

Palabras destacadas en **color**: conceptos que te llevarán a la sección "Habla como un/a especialista" (pág. 68).

Personajes subrayados: grandes hombres y mujeres de la historia cuyas biografías encontrarás al final de este libro en "Personajes que abrieron nuevos caminos" (pág. 70).

Palabras como herramientas

¿La libertad tiene límites? ¿Será realmente posible cambiar el mundo? ¿Qué nos hace iguales y qué nos hace diferentes? Hay tantas preguntas como personas en el mundo, y todas ellas son importantes, pues nos impulsan a reflexionar y cuestionar lo que nos rodea. Aunque quizá parezca más fácil dejarnos llevar por nuestro entorno y por lo que la mayoría en él piensa, muchas veces esta no es tan buena idea: basta con ver cómo va el mundo hoy.

Tal como existen muchas y distintas realidades, también lo son las palabras que usamos cotidianamente para nombrarlas. Y, claramente, el peligro no radica en estas diferencias, sino en cómo utilizamos esas palabras: pueden reforzar un prejuicio o acoger una diferencia; dividirnos o agruparnos bajo los mismos intereses; invisibilizarnos o darnos una nueva voz.

Sí, la palabra es una herramienta poderosa que construye realidades. Se puede partir haciendo la prueba diciendo "nosotros" en vez de "yo". Y no es cualquier tipo de herramienta, es una que compartimos y que va cambiando… no hace mucho, por ejemplo, las mujeres no eran consideradas ciudadanas. Hoy esto es difícil de imaginar, y en el futuro, esperamos, ocurrirá lo mismo: ¿personas que no cuidaban la naturaleza? ¡Bah, eso será de no creerlo!

Entonces, aquí está nuestra propuesta: mirar a nuestro alrededor, parar las antenas y cuestionarse sobre las palabras que oímos y usamos. En este libro encontrarás conceptos para entender muchas de las cosas que suceden en nuestro entorno, pero también ideas, personajes admirables, formas de luchar por lo que queremos, frases para inspirarse, un tanto de historia y, seguramente, más de un par de pensamientos que te quedarán dando vueltas. Esperamos que este libro pueda sembrar en tu cabeza algunas reflexiones y palabras que mañana florezcan.

A

ACTIVISMO

*La forma más común en que las personas renuncian a su poder
es pensando que no lo tienen.*

Alice Walker

A veces nos sentimos como un pequeño insecto que poco
puede hacer frente a las injusticias que vemos a diario.
Y ante los problemas del mundo, nos quedamos de
brazos cruzados pensando que no conseguiremos nada.
Pero los cambios importantes suelen empezar con una
sola persona, y esa persona podrías ser tú. Para esto es
necesario informarse y hacerse preguntas que motiven
nuestro actuar: desde organizarnos con quienes nos rodean
o reunir firmas por una causa, hasta movilizarnos mediante
marchas pacíficas. Eso hacen los activistas; llevar a la acción
sus ideales. Las causas pueden ser muchas: grandes, como
exigir una mejor educación, o más cotidianas, como reciclar.
Lo fundamental es comprometerse y luchar contra lo que
no nos parece correcto. Todo comienza con una pizca de
curiosidad: no hay que olvidar que las pequeñas acciones
son importantes, y que muchas de estas pequeñas
acciones pueden transformar el mundo.

💡 **¿Por qué causas te
gustaría movilizarte?**

¿Qué es el ciberactivismo? Es una forma de acción política y participación social mediante el uso de tecnología e internet para organizar actividades, discutir, recaudar fondos, compartir información, participar y apoyar ciertas causas.

B

BIEN COMÚN

Donde las personas de buena voluntad se unen y trascienden sus diferencias por el bien común, se pueden encontrar soluciones pacíficas y justas, incluso para aquellos problemas que parecen muy difíciles de resolver.

Nelson Mandela

Sabemos que todos somos distintos, por lo que no debe extrañarnos que tengamos anhelos diferentes. Lo que es bueno para mí, no siempre lo es para otros. Lo que yo quiero, puede que no lo quiera el resto. Tal como sucede con una caja de bombones: los que más me gustan puede que no sean los mismos que los que prefieren mis amigos. Pero hay algo en lo que todos coincidimos: existen ciertas cosas básicas que nos benefician por igual para tener una buena vida. Todos tenemos derecho a un techo, comida, salud, educación y trabajo. Queremos paz, dignidad*, justicia y libertad. Estos bienes no pertenecen a una sola persona, sino que a la humanidad entera. Y es tarea de cada uno colaborar para que la comunidad completa disfrute de ellos. Nuevamente, es como lo que pasa con los bombones: saben mejor cuando se comparten.

> El bien común **no es la suma** de los bienes de cada uno de los individuos de la sociedad, pues solo con la colaboración de todos puede ser alcanzado.

¿Podrías hacer algo para que tu barrio esté mejor?

* **Dignidad**: valor que tiene todo ser humano por el simple hecho de serlo, y por eso merece ser libre, respetado y tiene derechos que deben ser reconocidos por toda la sociedad, sin distinciones de ningún tipo.

CIUDADANÍA

Nunca dudes de que un pequeño grupo de ciudadanos reflexivos y comprometidos puede cambiar el mundo. De hecho, es lo único que siempre lo ha hecho.

Margaret Mead

Por mucho que a veces podamos sentirnos solos, no vivimos en una isla lejana. Siempre somos parte de una comunidad mayor, como nuestra familia, escuela, barrio, ciudad o país. En estos espacios nos cuidamos entre todos, y así como en ellos tenemos derechos, por ejemplo, el de ser tratados sin discriminación*, también debemos asumir responsabilidades para que este cuidado esté asegurado. Una de las formas de hacerlo es ejerciendo la ciudadanía, la cual requiere pasar a ser un actor en vez de espectador de lo que sucede a nuestro alrededor: cuando conservamos el entorno, cuando votamos, cuando respetamos y protegemos al más débil, o cuando participamos opinando en la sala de clases. Si nos fijamos bien, estos actos nacen de una misma idea: todos tenemos igual derecho a ser felices. Y, si nos fijamos aun mejor, nos daremos cuenta de que ser protagonistas de los cambios que queremos es mucho más interesante que simplemente sentarnos a esperar que algo suceda.

* **Discriminación**: trato injusto hacia una persona o grupo por su origen étnico, religión, opinión, sexo, edad, capacidades u otro motivo. Este trato desigual hace que la persona discriminada no tenga los mismos derechos u oportunidades que el resto. Existe también la discriminación positiva, en la que se beneficia a ciertos grupos para lograr mayor igualdad.

En la **Antigua Grecia**, los extranjeros, esclavos y mujeres no eran considerados ciudadanos.

¿Cómo crees que podemos ser ciudadanos/as responsables?

DEMOCRACIA

¿Qué se te ocurre para aplicar la democracia en tu sala de clases?

Existe un **índice de democracia** hecho por la Unidad de Inteligencia de *The Economist*, en el que se estudian 165 países en base en cinco pilares: proceso electoral y pluralismo, libertades civiles, funcionamiento de Gobierno, participación política y cultura política. Actualmente, Noruega es el país más democrático del mundo, y Corea del Norte está en el último lugar.

El gobierno del pueblo, por el pueblo y para el pueblo.

Abraham Lincoln

Existen distintas formas de gobernar: el poder puede estar en manos de reyes, como en las monarquías; de los ricos, como en las oligarquías; o de los ciudadanos, como en la democracia. Esta última se ejerce eligiendo libremente a nuestros representantes a través del voto, y también permite la realización de **plebiscitos** para aprobar o rechazar propuestas específicas. Así, el pueblo (¡nosotros!) le entrega a estos representantes el mandato de gobernar por cierto tiempo, pues la alternancia en el poder es esencial en la democracia. Son ellos a quienes elegimos para que defiendan nuestros intereses y hagan eco de nuestras voces. Y a pesar de que a veces nos puedan parecer seres superpoderosos, no debemos olvidar que su autoridad es dada por el pueblo (sí, otra vez, ¡nosotros!).

Lo que hace especial a la democracia es que todos podemos participar en ella, y hasta ser elegidos como representantes si cumplimos con ciertos requisitos. Para esto es necesario oír y considerar las diferentes opiniones, por mucho que no estemos de acuerdo: nadie puede imponer su voluntad por sobre el resto, como ocurre, por ejemplo, en una dictadura*. De esta manera, la decisión de la mayoría es la que rige, siempre respetando las leyes, los derechos humanos y las minorías.

* Dictadura: forma de gobierno donde todo el poder se concentra en una sola persona o grupo. Este poder se gana y se mantiene por la fuerza, por lo que no se respetan los derechos ni la libertad del pueblo.

E

ECOLOGISMO

No hemos venido aquí para rogarles a los líderes mundiales que se preocupen por lo que está ocurriendo. Nos han ignorado en el pasado y nos volverán a ignorar. Ya no nos quedan excusas y nos estamos quedando sin tiempo. Hemos venido aquí para hacerles saber que el cambio está llegando, les guste o no. El verdadero poder pertenece a la gente.

Greta Thunberg

Somos parte de la naturaleza y dependemos de ella. Cuando la naturaleza está amenazada, nuestra vida también lo está. Por esto, el ecologismo ha tenido que asumir tareas importantísimas: reducir la contaminación, preservar la vida silvestre y los recursos naturales, entre otros. ¿Cómo? De distintas formas, desde desarrollar campañas para crear conciencia sobre la protección del medioambiente, hasta exigir cambios en las leyes.

Los ecologistas componen un movimiento que lucha por un mundo donde todos podamos acceder al agua y aire limpios, donde se usen **energías renovables**, los alimentos se produzcan sin agotar los recursos naturales (¡y alcancen para todos!) o los animales no sean tratados cruelmente. Todas nuestras necesidades debiesen satisfacerse sin impedir que las futuras generaciones también puedan hacerlo, lo que hoy peligra seriamente. Al ser humano le ha costado entender que tiene solo este planeta para habitarlo, pero podemos hacer una pequeña diferencia día a día, por ejemplo, cuidando el uso del agua, reciclando o consumiendo responsablemente . Estamos contra el tiempo y nuestra tierra, que es la casa de todos, nos necesita: el mañana lo construimos, entre todos, hoy.

Se considera que una especie está en **peligro de extinción** cuando todos sus representantes corren el riesgo de desaparecer del planeta. Según la Unión Internacional para la Conservación de la Naturaleza, se encuentran en peligro de extinción cerca del 11% de las aves, el 20% de los reptiles, el 34% de los peces y 25% de los anfibios y mamíferos.

¿Cuál tema del ecologismo es el que más te preocupa y cómo podrías ayudar a solucionarlo?

* **Consumo responsable**: al comprar algo es importante cuestionarse si realmente lo necesitamos, pues todo lo que consumimos impacta en la naturaleza: desde su producción, transporte a las tiendas, los desechos que genera y si es o no reciclable, hasta si quienes lo fabricaron fueron pagados y tratados de manera justa.

F

FRATERNIDAD

Hemos aprendido a volar como los pájaros, a nadar como los peces, pero no hemos aprendido el sencillo arte de vivir como hermanos.

Martin Luther King Jr.

La fraternidad sustituye el "yo" por el "nosotros", y el "mío" por el "nuestro". Es decir, nos une y hermana a todas las personas en un sentimiento de solidaridad, afecto y respeto, más allá del color de piel, la religión o el lugar de nacimiento. Si miramos así las cosas, nos daremos cuenta de que la palabra "otros" es, en realidad, una etiqueta ficticia con la que a veces apartamos a quien creemos distinto. Y como toda etiqueta, poco nos dice sobre lo que verdaderamente hay tras las caras que vemos.

Nos necesitamos entre todos para sobrevivir, y cada uno debería ayudar al resto en esa tarea. Detengámonos un momento a pensarlo y veremos que cotidianamente recibimos apoyo de quienes nos rodean: nuestros profesores, vecinos o algún desconocido que nos ayuda sin pedir nada a cambio. Son regalos gratuitos que recibimos por formar parte de una gran familia, que es la sociedad. Es parecido a lo que ocurre en el fútbol: todos los jugadores tienen un rol importante, y con uno solo no hay partido. Solo en equipo se puede jugar y vencer, pues, tal como dijo el escritor mexicano Juan Rulfo, "nos salvamos juntos o nos hundimos separados".

¿Sabías que la expresión **"La unión hace la fuerza"** está en el escudo de Bulgaria y Haití, y es el lema nacional de Malasia, Bélgica, Bolivia y Bulgaria?

¿Crees que tu país es fraterno?

G

GÉNERO

Hoy vivimos en un mundo radicalmente distinto. La persona más cualificada para ser líder ya no es la con más fuerza física. Es la más inteligente, la que tiene más conocimientos, la más creativa o innovadora. Y para estos atributos no hay hormonas. Una mujer puede ser igual de inteligente, innovadora y creativa que un hombre.

Chimamanda Ngozi Adichie

A lo largo de la historia el género ha estado definido por lo que las diferentes culturas han atribuido a hombres y mujeres en sus roles, características y conductas supuestamente biológicas. Por ejemplo, la idea de que las mujeres tenían que quedarse en casa cuidando a los hijos o que los hombres debían ser rudos o eran mejores para las ciencias. Estas ideas preconcebidas o **estereotipos**, poco a poco, han ido quedando atrás: hoy sabemos que el género no necesariamente se relaciona con si eres hombre o mujer biológicamente, ni con aquellas características o roles que se le ha atribuido a uno u otro.

El género no determina cómo tenemos que comportarnos, pues podemos ser quien y como queramos, independientemente de los cromosomas que tengamos.

Pero a pesar de esto, aún existen diferencias injustas. En ciertos lugares muchas mujeres no pueden ir a la escuela o estudiar determinadas carreras, y algunos hombres son mirados en menos por ejercer labores socialmente consideradas femeninas. Por otra parte, las mujeres tienen menor participación en cargos públicos que los hombres, por lo que la lucha por la igualdad de derechos continúa.

Cromosomas: dentro de las células hay cromosomas, que son filamentos como hilos que contienen genes. Los genes determinan nuestros rasgos físicos, como el color de pelo o los órganos sexuales y reproductivos. Las mujeres tienen dos cromosomas X, y los hombres uno X y otro Y.

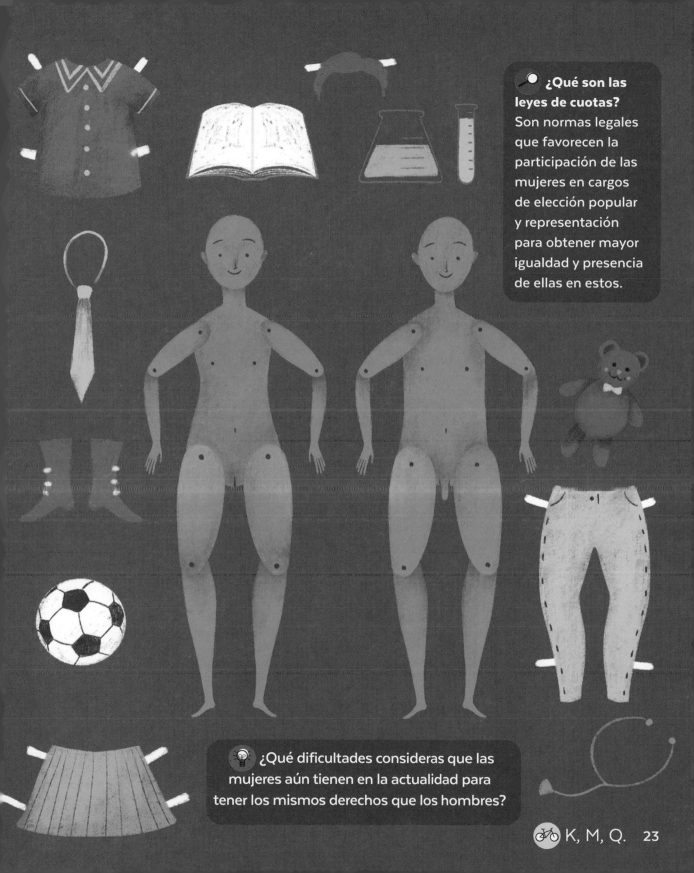

🔍 **¿Qué son las leyes de cuotas?** Son normas legales que favorecen la participación de las mujeres en cargos de elección popular y representación para obtener mayor igualdad y presencia de ellas en estos.

💡 **¿Qué dificultades consideras que las mujeres aún tienen en la actualidad para tener los mismos derechos que los hombres?**

🚲 K, M, Q. 23

H

HUMANOS, DERECHOS

¿Dónde comienzan, después de todo, los derechos humanos universales? En lugares pequeños, cerca de casa, tan cerca y tan pequeños que no se pueden ver en ningún mapa del mundo.

Eleanor Roosevelt

Por el solo hecho de existir, los seres humanos nacemos con dignidad y derechos. Todos, sin distinción de etnia, género, nacionalidad, riqueza, opinión, lengua, religión o cualquier otra condición. Nuestros derechos fundamentales dan pie a un código común de comportamiento, que se construye básicamente en torno a tres valores centrales:

- **Libertad, como el derecho a opinar y participar en la vida política.**
- **Igualdad, como el derecho a la educación o a la alimentación.**
- **Fraternidad, como el derecho a la paz.**

A pesar de que estos valores nos parezcan claramente justos, antes no era así: existían esclavos, abundaba el trabajo infantil y ciertos pueblos eran perseguidos. Es innegable que las injusticias aún existen, pero gracias a la **Declaración Universal de los Derechos Humanos** de 1948, firmada por 47 Estados, cada uno de estos países debe proteger, promover y respetar estos derechos. Y, por supuesto, nosotros también. Conocer la declaración es un primer (¡y muy importante!) paso.

Los **derechos humanos emergentes** son reivindicaciones de derechos nuevos y/o parcialmente reconocidos que surgen por las nuevas necesidades de la sociedad actual. Por ejemplo, el derecho a una muerte digna, a migrar o al matrimonio homosexual.

¿Cuál derecho humano es más significativo para ti?

24

Un hombre solo tiene derecho a mirar a otro hacia abajo cuando ha de ayudarle a levantarse.

Gabriel García Márquez

IGUALDAD

Cuando miramos a nuestro alrededor, descubrimos que todos somos únicos: hay personas altas y bajas, tímidas y extrovertidas, creyentes y ateas*, japonesas y haitianas, viejas y jóvenes, mujeres y hombres... y un laaargo etcétera con muchas opciones en cada caso. Sin embargo, más allá de estas diferencias, todos los seres humanos tenemos los mismos derechos y, por lo tanto, merecemos el mismo trato. Nadie puede ser discriminado, es decir, tratado de forma distinta injustamente, ya que nadie es superior ni inferior a otro. Jamás hay que dudar de esto, pues quienes lo hacen, suelen terminar mal: pueden abusar o ser abusados por otros.

Tú y yo debiésemos tener iguales **oportunidades** para crecer, aprender, reír, amar, ser amados y escuchados. Esto incluye, y con mayor razón, a las personas que nos parecen tan extrañas y diferentes a nosotros: antes de conocerlas, reemplacemos los prejuicios que podamos tener por la curiosidad. ¿Cuál es su platillo favorito? ¿Qué música escuchan? ¿A qué les gusta jugar? Quizá descubramos que las cosas que nos unen a ellas son más de las que nos separan.

* **Ateo**: persona que niega que exista algún dios.

La **esperanza de vida** en las comunidades pobres es entre 10 y 20 años inferior que en las ricas.

¿Qué desigualdades adviertes a tu alrededor?

J

JUSTICIA

Las personas que integramos una comunidad generalmente compartimos principios básicos sobre lo que consideramos bueno o malo para convivir en paz: desde pequeñas cosas, como respetar el turno en la fila, hasta otras más graves, como no herir a nadie. Y para que estos principios sean conocidos y cumplidos por todos, se recogen en leyes o normas de conducta.

Si queremos que respeten nuestros derechos, también debemos respetar los del resto, si no, no habrá justicia. Porque esta, a pesar de que pueda parecernos inalcanzable, es una práctica concreta que vemos a diario cuando cada persona recibe lo que le corresponde, desde, por ejemplo, cuando el profesor pone notas a las pruebas donde se refleja cuánto estudió cada alumno, hasta cuando alguien le pide a ese mismo profesor que revise nuevamente la prueba porque contó mal el puntaje. La justicia, en pocas palabras, es cuando la verdad se refleja en acciones concretas.

Hay **leyes sumamente extrañas.** Por ejemplo, en Singapur está prohibido comer chicle; en Sri Lanka no te puedes tatuar a Buda; en Suiza no debes tirar la cadena del inodoro después de las 10 p.m.; en Barbados está prohibido vestir ropa de camuflaje; en Alemania es delito quedarse sin gasolina en tu auto; y en Japón, si al manejar pasas por un charco y salpicas a un peatón, te multan.

La venda simboliza que la justicia es imparcial, o sea, igual para todos, sin distinguir entre las personas.

La espada representa el castigo que se impondrá al culpable.

La balanza encarna los argumentos a favor o en contra en cada caso.

Dama de la Justicia.

¿Cómo podríamos construir un mundo más justo?

K, SÍMBOLO DE *CAPITAL*

 ¿Sabías que la manera como los bienes se presentan, de quién son, cómo se utilizan y cómo se reparte su resultado son parte fundamental de los problemas de la economía?

Dentro del pensamiento social, la palabra capital (cuya abreviatura es K en libros de economía) alude a los recursos que una organización tiene para producir, antes de comprar insumos y añadir trabajo, una mercancía. En el caso de una panadería, el horno es un bien de capital, la habilidad del panadero es su fuerza de trabajo, y juntos producen una mercancía: el pan, que puede a su vez ser parte de una cadena de producción, como cuando la panadería lo vende a un restaurante que, a su vez, te lo vende a ti. Y si bien esta cadena ayuda a que se produzcan bienes, también puede ayudar a producir males si no se usa conscientemente: con justicia y respetando el medioambiente, pues la ambición es infinita, pero los recursos no. Y tú, ¿qué crees?

* Insumos: conjunto de bienes que se usan para la producción de otros bienes.

Datos:

* Para Adam Smith, la acumulación de capital trae desarrollo: si una nación ahorra e invierte esos ahorros, terminará creando riqueza.

* Karl Marx afirmaba que la desigualdad y la explotación de los trabajadores tienen que ver con la acumulación del capital en manos de unos cuantos, y no en quienes crean la riqueza, es decir, los trabajadores.

DAS KAPITAL

L

LIBERTAD

Un héroe es alguien que entiende la responsabilidad que conlleva la libertad.

Bob Dylan

En teoría, todos debiésemos poder decidir libremente qué queremos y qué no, sin que nada ni nadie nos lo impida. Esto puede sonar más o menos lógico si lo que deseamos es vivir según lo que pensamos y creemos mejor para nosotros. Pero, aunque parezca contradictorio, la libertad tiene límites, ya que en su ejercicio no podemos perjudicar a quienes nos rodean ni desobedecer las leyes que nos hemos impuesto democráticamente. Siempre somos responsables de las consecuencias de lo que hacemos. La libertad, entonces, necesita de la justicia para ser ejercida, ya que sin ella no es posible ponerla en práctica.

Existen libertades individuales, como la de expresión, y colectivas, que corresponden a un grupo de personas, como la de poder manifestarse. Gracias a la libertad podemos hacer cosas tan básicas y cotidianas como reunirnos para compartir puntos de vista, informarnos, elegir nuestros valores y movernos sin restricciones. Gracias a ella también podemos pensar por nosotros mismos y decir lo que queramos, sin que esto dañe la libertad de los demás. Si esto no es así, no estamos siendo libres, sino simplemente desconsiderados, ¿no crees?

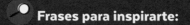

Frases para inspirarte:

∗ "No hay barrera, cerradura ni cerrojo que puedas imponer a la libertad de mi mente". (Virginia Wolf)

∗ "La libertad está en ser dueños de la propia vida". (Platón)

∗ "Uno no debe nunca consentir arrastrarse cuando siente el impulso de volar". (Helen Keller)

∗ "Debemos ser libres no porque reclamamos la libertad, sino porque la practicamos". (William Faulkner)

∗ "Pueden forzarte a decir cualquier cosa, pero no hay manera de que te lo hagan creer. Dentro de ti no pueden entrar nunca". (George Orwell)

∗ "Solo puedes proteger tus libertades protegiendo las de los demás. Solo puedes ser libre si yo lo soy". (Clarence Darrow)

¿Qué tipo de libertades conoces?

M

MINORÍA

💡 ¿Te relacionas con personas pertenecientes a una minoría? ¿Qué opinas de ellas?

🔍 Según la **Declaración sobre los Derechos de las Personas Pertenecientes a Minorías Nacionales o Étnicas, Religiosas y Lingüísticas de la ONU** (1992), para que sus derechos sean efectivos, es fundamental promover y proteger su identidad, impidiendo la asimilación forzada y la pérdida de culturas, religiones e idiomas que constituyen la base de la riqueza del mundo.

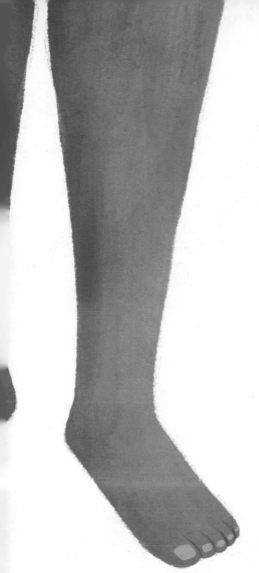

La prueba de valentía llega cuando estamos en la minoría.
La prueba de tolerancia llega cuando estamos en la mayoría.

Ralph W. Sockman

Tradicionalmente, hablamos de minorías para referirnos a aquellos grupos de personas que numéricamente son menos respecto al resto de la población, no tienen una posición dominante dentro de la sociedad y/o poseen ciertas características religiosas, culturales, étnicas o de lengua distintas a la mayor parte de un país. Por estas razones, muchas veces estos grupos han sufrido discriminación, siendo tratados de forma injusta y sometidos por el poder de otros. Y estos otros, por lo general, reducen sus derechos en beneficio propio.

Sin embargo, la definición de minoría no es del todo clara, pues obedece a criterios objetivos y subjetivos, como ocurrió con los negros en el régimen de *apartheid** en Sudáfrica donde una mayoría numérica se encontraba en una posición no dominante.

Ya sabemos cómo somos los seres humanos: con frecuencia hemos creído que algunas personas son superiores a otras, y le tememos a quien es diferente, cuando es justamente esa diferencia la que nos hace valiosos. La diversidad jamás debiese ser utilizada para rebajar ni excluir al otro.

* Apartheid: conjunto de normas políticas y sociales discriminatorias racialmente para con la población negra e india en Sudáfrica, desde 1948 hasta inicios de la década de los 90. Estas normas establecían, por ejemplo, playas, transporte, barrios, cines y hasta hospitales exclusivamente para personas blancas.

N

NACIÓN

Una nación es finalmente la suma de todos los individuos particulares, y según cómo ellos sienten, piensan u obran, así siente, piensa y obra la nación.

Rudolf von Ihering

Una nación es una comunidad de personas que comparte un lugar, un origen étnico, un idioma o una cultura, lo que les otorga una identidad. Algo así como una familia numerosa con los mismos antepasados, chistes internos y anécdotas comunes. Estas personas se sienten parte de un grupo que, a su vez, es distinto de otros por el pasado que los une y los sueños que los mantendrán juntos en el futuro. Esto es lo que hace a una nación tener sus propias tradiciones y gobierno.

Una nación no es lo mismo que un país: existen naciones sin territorio, o países con más de una nación, donde cada una de ellas se identifica como parte de una misma cultura. Un ejemplo es el Reino Unido, conformado por la nación inglesa, escocesa, norirlandesa y galesa. O países como Ecuador y Bolivia, que se declaran Estados plurinacionales, reconociendo así las distintas naciones indígenas que los componen, como si se tratara de un rompecabezas con piezas de distintas formas y colores.

💡 ¿Qué sueños crees que comparte tu nación?

🔍 La palabra **"nación" viene del latín** *natio*, derivado de *nasci*, que significada "nacer". Primero se aplicaba al lugar de nacimiento, pero luego se extendió al grupo de personas de una misma raza, lengua, instituciones y cultura que formaban un solo pueblo que se consideraba emparentado por un origen o nacimiento común.

Ñ

"¡No nos dejemos arrebatar la eñe! Ya nos han birlado los signos de apertura de interrogación y admiración. Ya nos redujeron hasta el apócope, sigamos siendo dueños de algo que nos pertenece (...) La supervivencia de esta letra nos atañe, sin distinción de sexos, credos ni programas de software (...) Luchemos para no añadir más leña a la hoguera donde se debate nuestro discriminado signo (...) La eñe es gente".

Maribel Mora Curriao, "Atardecer en el río"

💡 **¿Sabías que sólo a partir de 2007 fue posible usar la ñ en los nombres de dominios de internet y correos electrónicos?**

🔍 **Si bien el español y el gallego optaron por usar la ñ para este sonido (España), el portugués eligió la combinación *nh* (Espanha); el francés y el italiano, el dígrafo *gn* (Espagne), y el catalán, la fórmula *ny* (Espanya).**

La amenaza contra la ñ se ha transformado en un motivo de resistencia y, sin duda, de lucha por la defensa de la identidad del idioma castellano, pues lo caracteriza y le da una personalidad única. Ella nos permite guiñar un ojo, hacer cariño, escalar montañas y, por supuesto, soñar. Nació hace muchísimo tiempo, en la Edad Media, cuando los monjes que copiaban textos transformaron la escritura de este sonido desde nn a ñ para ahorrar pergamino y tiempo. Es así como surge esta letra tal como la conocemos hoy, con su típica virgulilla, ese pequeño sombrero que la corona.

En la década de los noventa del siglo pasado, la Comunidad Económica Europea pretendió eliminar la ñ para uniformar los teclados de los aparatos tecnológicos, ya que no querían "gastar" en agregar una letra que la mayoría de sus países no usaba, olvidándose de que nuestra lengua es la segunda más hablada en el mundo, con más de 600 millones de hablantes, incluidos limeños, españoles, xalapeños, tarapaqueños, hondureños, panameños, oaxaqueños y un sinfín más. Es, además, una letra usada hace siglos por lenguas indígenas como el quechua, guaraní, mixteco, zapoteco, aimara y el mapuche, entre otros, por lo que su reivindicación es un ejemplo de protección cultural.

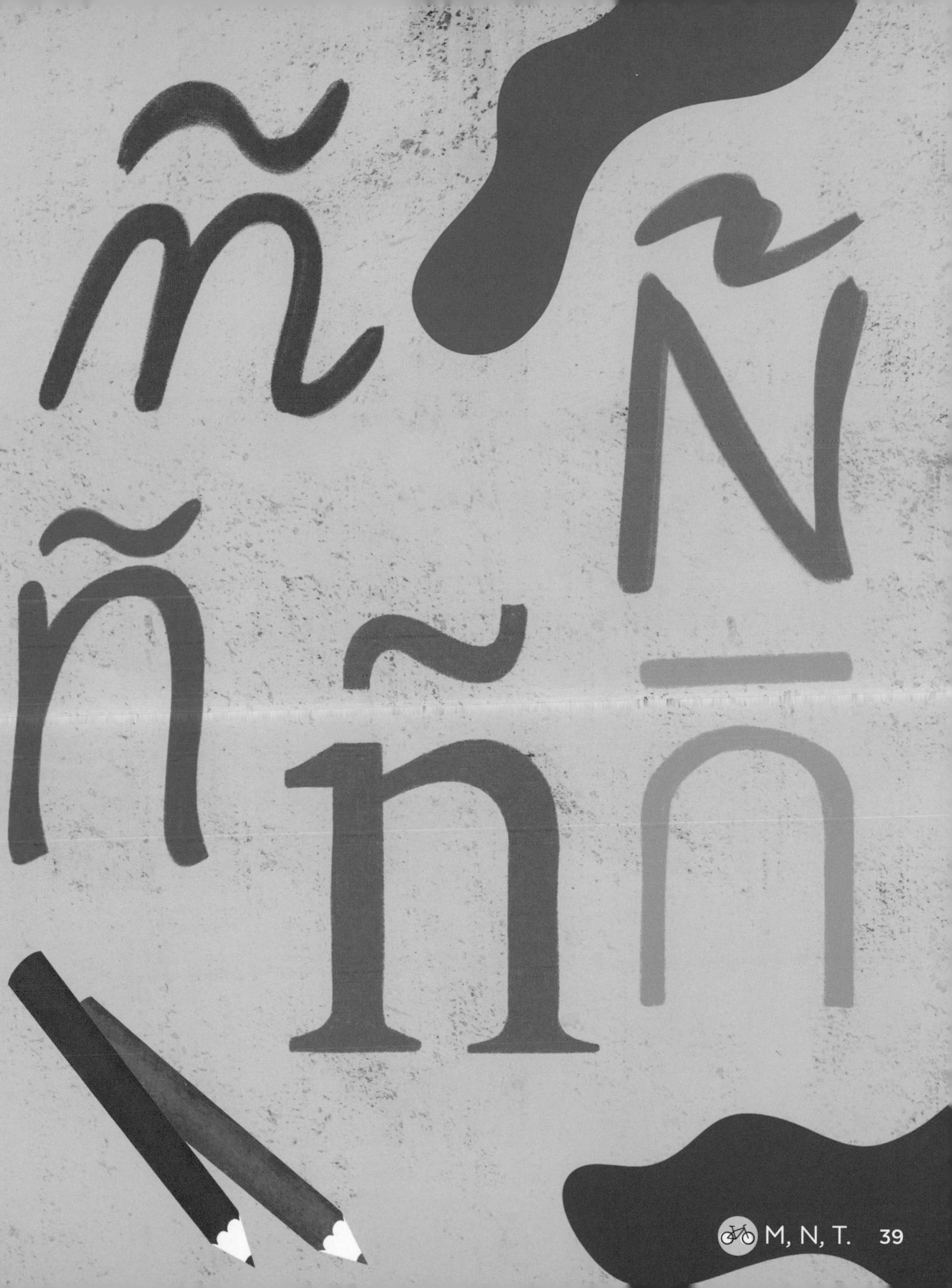
ñ Ñ
ñ ñ ñ

O
OBLIGACIÓN

¿Qué obligaciones te gustaría cambiar? ¿Afectarías a alguien con ese cambio?

Donde haya un árbol que plantar, plántalo tú. Donde haya un error que enmendar, enmiéndalo tú. Donde haya un esfuerzo que todos esquivan, hazlo tú. Sé tú el que aparta la piedra del camino.

Gabriela Mistral

Para que cualquier comunidad funcione de forma organizada y justa, cada uno de sus miembros tiene que cumplir con ciertas obligaciones. Pero no todas ellas son iguales: ayudar a hacer el aseo en casa, no hacerle daño a los animales, respetar a la profesora, no robar o cruzar con el semáforo en verde son deberes muy distintos. Y es que no nacen de la misma fuente. Algunas de ellas provienen de la ley o la autoridad*, y otras surgen de nuestras relaciones con el resto de las personas. Estas son reglas que como sociedad hemos acordado, tal como nos ponemos de acuerdo sobre las reglas de un juego.

Una obligación es la otra cara de la moneda de un derecho. Por ejemplo, los ciudadanos debemos pagar **impuestos** (obligación por ley) que nos permiten disfrutar de bienes públicos, como las plazas y calles que, a su vez, tenemos el deber de cuidar para que otros también puedan disfrutar de ellas (obligación social). Así, todo derecho conlleva un deber, y el primero existe solo si cumplimos con el segundo. Si lo pensamos bien, una obligación es una oportunidad para que todos podamos gozar tranquilos de nuestras libertades y participar del juego.

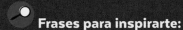

Frases para inspirarte:

* "Todo derecho que no lleva consigo un deber, no merece que se luche para defenderlo". (Mahatma Gandhi)

* "La grandeza no consiste en hacer todo aquello que se quiere, sino en querer todo aquello que se debe". (Reina Cristina de Suecia)

* "La primera obligación de todo ser humano es ser feliz; la segunda es hacer feliz a los demás". (Cantinflas)

* "Cumplir lo que estimamos nuestro deber ya encierra en sí mismo una recompensa". (Miguel Delibes)

---

* **Autoridad**: quien ejerce el poder ya sea por ley, sus conocimientos o valores morales. En el primer caso puede ser, por ejemplo, el poder que tiene un gobernante; en el segundo, un experto en cierto tema; y, en el tercero, un pacifista.

P

*El poder no es más que el respeto a
todas las manifestaciones de la justicia.*

José Martí

PODER

El poder es fuerza. Es capacidad para decidir e influir en
nuestro entorno. Y puede ser una energía transformadora,
o una potencia destructora cuando es mal ejercido. Por esto
es que se le suele poner límites, y una buena forma de hacerlo
es distribuyéndolo entre diferentes personas u organismos
para que nadie lo concentre todo. Muchos países, incluido
el nuestro, hacen esto repartiéndolo en tres instancias:

- **Poder ejecutivo**: incluye al presidente/a y sus
  secretarios/as, quienes administran y representan
  al país ante otros.
- **Poder legislativo**: acá encontramos al Congreso,
  que crea las leyes.
- **Poder judicial**: son los jueces y juezas que hacen
  cumplir las leyes.

Así funciona la democracia, y el poder de estos distintos órganos
se ejerce con ciertos límites como, por ejemplo, el respeto a los
derechos humanos.

No hay que olvidar que el poder también es algo que
compartimos y que cada uno posee entre sus manos: líderes,
profesores, padres y, por supuesto, tú. Todos ejercemos alguna
forma de poder, como cuando me burlo (o no) de un compañero
frente al curso, o cuando incluyo (o no) a una amiga para jugar en
mi equipo. De nosotros depende ejercerlo de manera generosa
y dialogante o, por el contrario, de forma abusiva.

El **Congreso mexicano** es bicameral, es decir, se compone de una Cámara de diputados/as, con 500 miembros, y otra integrada por 128 senadores/as. Por su parte, el poder ejecutivo cuenta con 21 integrantes.

¿Qué crees que pasa cuando el poder se ejerce de forma abusiva?

QUEER

¿Te sientes a gusto con tu identidad de género?

Qué más da lo que soy, ¡lo importante es cómo puedo ser libre!

Paul B. Preciado

En español la palabra *queer* significa "extraño" o "distinto". Si bien en un inicio tuvo una connotación negativa, hoy se usa para describir la identidad de género, orientación sexual y expresión de género diferentes a las normas sociales dominantes. Y para entender bien de qué se trata, antes es necesario aclarar estos términos. El primero se refiere a con qué género se identifica una persona, más allá de su sexo: no tiene nada que ver con que si eres hombre o mujer biológicamente, sino que se relaciona con el sentimiento interior de cómo te sientes: niño, niña, a veces uno u otro, o ninguna de las opciones anteriores. La orientación sexual, en cambio, alude a quién te atrae física o románticamente, ya sea alguien del sexo opuesto (heterosexual) o no (homosexual[*]). Por último, la expresión de género es cómo manifestamos este a través de nuestro comportamiento y apariencia.

Aclarado esto, también hay que entender que estos tres conceptos son muy amplios, y que las etiquetas sociales "hombre" y "mujer" no son las únicas, pues mucha gente no calza en estas: no todo es blanco o negro (¡menos mal que no!). Es así como encontramos una enorme diversidad de personas cuya identidad de género, orientación sexual y/o expresión de género es libre de etiquetas, lo cual cabe dentro de la palabra *queer*. El género y el sexo no determina cómo tenemos que comportarnos: podemos ser quienes queramos, como queramos y amar a quien queramos. ¡Es nuestra decisión!

🔍 **¿Qué significa LGTBQI+?** Son las siglas de las palabras lesbiana, gay, transgénero, transexual, travesti, bisexual, *queer* e intersexual. Se le añade "+" para incluir a todos los grupos que no estén representados en estas siglas.

---

* **Homosexual**: persona a quien le atraen sexualmente personas de su mismo sexo. Esto no solo ocurre entre los seres humanos, pues también sucede con los animales. Es una manifestación natural de la sexualidad que se da en los seres vivos y que ha existido desde siempre.

R

REVOLUCIÓN

La revolución es una fase, un estado de ánimo, como la primavera, y así como la primavera tiene brotes y lluvias, la revolución tiene su entusiasmo, su valentía, su esperanza y su solidaridad.

Rebecca Solnit

La **Revolución francesa**, en 1789, marcó el inicio de la Edad Contemporánea. Gracias a ella se pasó de una monarquía absolutista a una república democrática, y las personas pasaron de ser súbditos a ciudadanos.

¿Conoces alguna revolución que haya sucedido en la historia?

Una revolución es una chispa encendida por el descontento que muchas personas han vivido por demasiado tiempo. Y, como toda chispa, a veces puede causar un incendio violento... o puede generar profundos cambios en la sociedad cuando existen injusticias, anhelamos un futuro mejor y queremos participar de esos cambios.

Hay muchos tipos de revoluciones dependiendo del porqué surgen: desde la exigencia de los ciudadanos para tener mejores jubilaciones, hasta por la opresión* sufrida por algún pueblo. Pero lo que tienen en común todas ellas, es que siempre comienzan por alguien que se atrevió a pensar distinto y que no aceptó las cosas tal como eran. Esto no necesariamente trae siempre consecuencias positivas, pues en nombre de la revolución muchas veces se han cometido abusos.

Sin embargo, otras veces son un camino para denunciar injusticias y soñar con una vida más digna, pero no limitarse solo a soñarla, sino también hacer algo al respecto. Es así como en el pasado se cambió la historia y seguirá cambiando en el futuro. Y la única forma de lograrlo es haciendo que tu voz sea escuchada, pues toda revolución comienza como un pensamiento en la mente de una persona: uno al que se suman los pensamientos y voces de otros, como si se tratara de un gran coro que un día decide cantar con todas sus fuerzas.

* **Opresión**: cuando se restringe la libertad y los derechos de una persona o grupo, sometiéndolas porque tienen menos poder.

S

SOCIEDAD CIVIL

Individualmente, somos una gota. Juntos, somos un océano.

Ryunosuke Satoro

Para ejercer la ciudadanía, las personas se reúnen en torno a intereses compartidos que afectan sus vidas: desde mejores condiciones laborales o mayor diálogo con los vecinos, hasta proteger la naturaleza o luchar contra la discriminación. Así, gente como tú o como yo se organiza para exigir sus derechos y ser parte de la solución cuando el Estado[*] no lo hace. La sociedad civil, entonces, somos nosotros cuando nos unimos en un espíritu de cooperación, influencia y motivación por cambios que nos beneficien a todos. Esto, de forma independiente y voluntaria, sin que se tenga como objetivo ganar dinero, sino participar en la vida política y social con metas comunes y acciones concretas.

Ejemplos de organizaciones de la sociedad civil hay varios: **sindicatos**, cuerpos de bomberos, centros de estudiantes, juntas vecinales, organizaciones no gubernamentales (ONG), clubes deportivos y fundaciones, entre otros. Sí, son de muchísimos tipos diferentes, tal como los intereses de las personas. ¿Te gustaría pertenecer a alguna de ellas?

* Estado: conjunto de poderes y órganos de Gobierno de un país soberano, es decir, independiente.

> ¿Podrías mencionar algún ejemplo de organización de la sociedad civil? ¿Por qué crees que es importante participar en ellas?

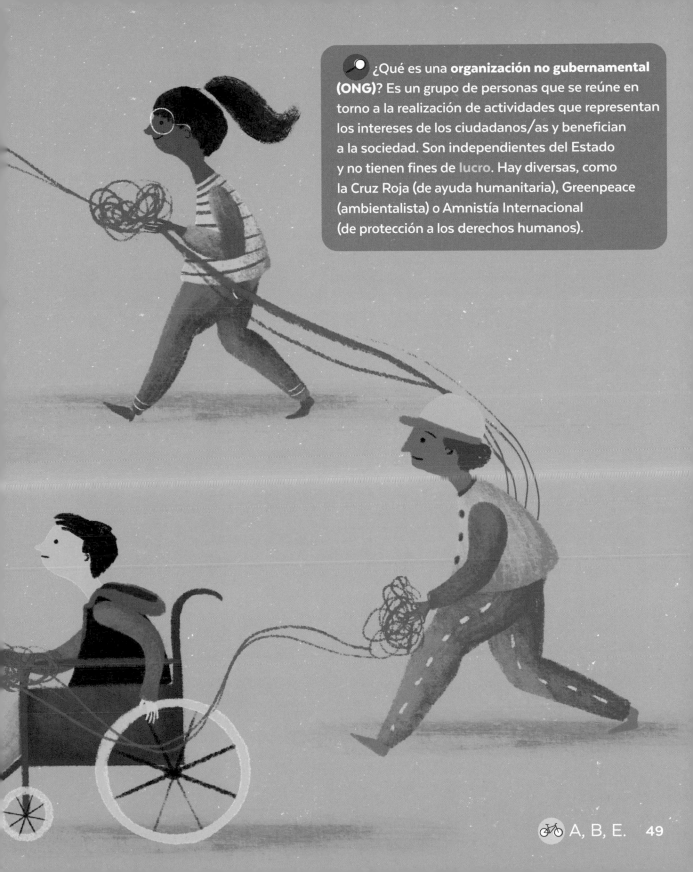

¿Qué es una **organización no gubernamental (ONG)**? Es un grupo de personas que se reúne en torno a la realización de actividades que representan los intereses de los ciudadanos/as y benefician a la sociedad. Son independientes del Estado y no tienen fines de lucro. Hay diversas, como la Cruz Roja (de ayuda humanitaria), Greenpeace (ambientalista) o Amnistía Internacional (de protección a los derechos humanos).

TOLERANCIA

El mundo es un tejido de diferentes culturas, opiniones, ideas y expresiones. Muchas de ellas probablemente no coincidan con las nuestras, y esa es una gran razón para respetarlas y apreciarlas aún más. ¿Por qué? La razón es simple: porque mientras más distinta nos parezca una persona por lo forma como piensa o siente, más podemos aprender de ella si tenemos nuestra mente abierta. Si solo nos rodeamos de quienes piensan igual a nosotros, ¿cómo vamos a conocer lo que está más allá de nuestras narices? Imposible. Y para esto, hay que estar dispuestos a escuchar a otros, pues la ignorancia es a menudo la causa de la intolerancia. Solo así se cimienta la paz, la libertad para buscar nuestra felicidad y, por supuesto, la originalidad. Todos somos únicos y tenemos algo que aportar. No lo olvides nunca: la existencia e intercambio de distintas ideas siempre será un faro para el progreso, la verdad, el conocimiento del mundo y de nosotros mismos.

Según la **Declaración de Principios sobre la Tolerancia de la** Unesco (1995), esta consiste en el respeto, aceptación y aprecio de la rica diversidad de culturas del mundo. Fomenta el conocimiento, libertad de pensamiento, conciencia y religión. Es la armonía en la diferencia. Hace posible la paz y contribuye a sustituir la cultura de la guerra por la de la paz.

¿Cómo crees que podrías ser más tolerante en tu día a día?

U

UTOPÍA

💡 ¿Con qué utopía sueñas para que este mundo sea mejor?

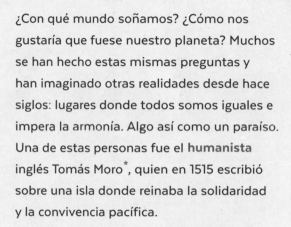

Las utopías son a menudo verdades prematuras.

Alphonse de Lamartine

El **utopismo tecnológico** se refiere a aquellas ideologías que postulan que los avances de la ciencia y tecnología nos ayudan a acercarnos al ideal de la utopía. ¿Por qué? Porque fomenta aspectos como la comunicación, la colaboración, la comunidad, el intercambio de conocimiento y democratiza la sociedad.

¿Con qué mundo soñamos? ¿Cómo nos gustaría que fuese nuestro planeta? Muchos se han hecho estas mismas preguntas y han imaginado otras realidades desde hace siglos: lugares donde todos somos iguales e impera la armonía. Algo así como un paraíso. Una de estas personas fue el **humanista** inglés Tomás Moro[*], quien en 1515 escribió sobre una isla donde reinaba la solidaridad y la convivencia pacífica.

Tal como Moro, nosotros también tenemos el derecho (¡y el deber!) de soñar con un mundo mejor. Y si bien hay cosas que nos pueden parecer inalcanzables, como vivir en un planeta sin pobreza ni contaminación, no olvidemos que en el pasado ciertos sueños se veían muy lejanos: el fin de la esclavitud, el voto femenino ¡o que un humano pisara la luna! La historia nunca deja de confirmarnos que los sueños de hoy pueden ser las realidades del futuro.

[*] **Tomás Moro**: político y escritor inglés nacido en 1478. Fue miembro del Parlamento y embajador del rey Enrique VIII, quien en 1535 mandó a decapitarlo por no reconocerlo como cabeza de la nueva Iglesia anglicana. En 1935 fue declarado santo de la Iglesia católica.

V
VOTO

Cuanto menos se tiene más importante
es tu voto. Los votos construyen hospitales.
Con la indiferencia no se construye nada.

Alfredo Pérez Rubalcaba

SÍ

NO

32971

530

SÍ

¿Qué temas nuevos te
gustaría que se sometieran
a votación?

El voto es una de las armas más poderosas para que nuestras preferencias sobre cómo gobernar el país sean escuchadas. Todos los ciudadanos tenemos derecho a votar, y cada voto cuenta por igual: el tuyo vale lo mismo que el mío, aunque nuestras elecciones sean diferentes. Por eso es tan importante que el voto sea personal, es decir, que nadie pueda hacerlo en mi lugar; y secreto, ya que solo así seremos verdaderamente libres de elegir lo que queremos.

La historia del voto ha sido una de larga conquista. Al principio solo los hombres blancos que sabían leer y escribir podían hacerlo, dejando fuera a un montón de gente, como quienes que por no tener la posibilidad de acceder a la educación eran analfabetos. De esta manera, el poder era ejercido por y para unos pocos.

Hoy este derecho nos pertenece a todos, por lo que tenemos el deber de ejercerlo si queremos que nuestra opinión sea tomada en cuenta. Para esto no es necesario esperar a cumplir 18 años, pues también puede hacerse de otras formas. Cuando votamos levantando la mano en el salón de clases, o cuando en nuestra familia se debate algún asunto doméstico. ¿Estás de acuerdo?

> **Curiosidades sobre el voto:**
>
> * Las elecciones más largas del mundo fueron en India en 2014: duraron cinco semanas.
>
> * En Brasil los candidatos pueden usar seudónimos, con nombres como Hombre Araña, Tiché-Michael Jackson, Batman Capixaba, Cara de Hamburguesa, Olga un Beso y un Queso o Míster Bean.
>
> * En Estonia puedes votar desde tu celular.

W

WEBER, MAX

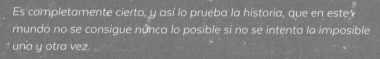

Es completamente cierto, y así lo prueba la historia, que en este mundo no se consigue nunca lo posible si no se intenta lo imposible una y otra vez.

Max Weber

Max Weber fue un importante intelectual alemán nacido en 1864. Y como buen intelectual, estudió de todo, centrándose principalmente en la sociología, la economía, el derecho, la historia y la política. Ahondó en temas como la democracia en la sociedad de masas, las religiones, la misión de la ciencia para la comprensión del mundo, la libertad y, en general, en la condición humana y su búsqueda de sentido. Como la política era uno de sus temas favoritos, investigó muchísimo para poder explicarla, hasta que finalmente la definió como la "dirección o la influencia en la dirección de un Estado". Para nosotros, entonces, significaría la aspiración a participar de alguna forma en el poder o en su repartición. Además, estableció las tres características que todo político debía tener:

- Pasión, mediante la entrega a una causa.
- Mesura, teniendo paciencia y usando la cabeza.
- Sentido de la responsabilidad.

Y lo más importante: debía ser carismático y comprender la naturaleza humana y sus defectos. Sería bueno que los políticos de hoy tuviesen esto en cuenta…

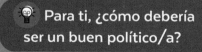 Para ti, ¿cómo debería ser un buen político/a?

WEBER EN CINCO FRASES:

* "Nada vale algo para una persona si no lo puede hacer con pasión".

* "Lo obvio es lo que menos se piensa".

* "La idea, generalmente, solo se prepara sobre la base de un trabajo muy duro".

* "Hay dos formas de convertir la política en una profesión: o vives para ella o vives de ella".

* "La duda más radical es el padre del conocimiento".

X

La plaga del racismo es insidiosa. Entra en nuestras mentes de forma tan suave, silenciosa e invisible como microbios que se esparcen en el aire y penetran nuestros cuerpos para asentarse de por vida en nuestra sangre.

Maya Angelou

XENOFOBIA

Esta palabra viene del griego *xeno*, que se refiere a alguien de origen extranjero, y *fobia*, que indica odio o rechazo. Si tenemos en cuenta que los seres humanos somos parte de la misma especie (*Homo sapiens*) y hemos migrado desde el inicio de los tiempos en busca de mejores condiciones de vida, cuesta entender el porqué de esta aversión a las personas de diferente etnia, nacionalidad o ascendencia. La respuesta la podríamos encontrar en el temor a lo desconocido y la ignorancia: muchas veces no sabemos que, al negar los derechos de quienes no son iguales a nosotros, estamos poniéndonos límites para enriquecer nuestra propia humanidad y cultura.

La discriminación y persecución de migrantes[*], **pueblos originarios**, negros y minorías, entre otros, ha cobrado la vida de millones de personas por la falsa creencia de que ciertos grupos son superiores al resto. Y es probable que esto no se detenga si no asumimos parte de la responsabilidad. Ponernos en el lugar del otro puede ayudarnos a decidir qué camino seguir.

Migrante: persona que llega a un país o región distinto de su lugar de origen para vivir en él por un tiempo o definitivamente. Las razones para esto pueden ser muchas, y ha existido desde el origen de la humanidad, como escapar de una guerra, buscar mejores empleos o formar una familia.

Algunos grupos víctimas de **xenofobia en la historia** han sido (y muchos siguen siéndolo) los gitanos, judíos, pueblos originarios, inmigrantes, negros y musulmanes.

¿Has visto alguna vez una situación de xenofobia?

Y

YO

¿Qué derecho de los niños y niñas te parece que no se respeta hoy?

60

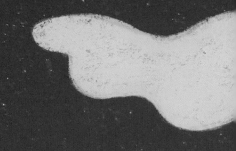

Si la ayuda y la salvación han de llegar, solo puede ser a través de los niños. Porque los niños son los creadores de la humanidad.

Maria Montessori

Yo tengo derechos que nadie puede vulnerar.

Tengo derecho a vivir y a que me protejan. A no pasar hambre ni frío.

Tengo derecho a un nombre y una nacionalidad.

Al amor de una familia y a que no me separen de ella.

Derecho a que mi cuerpo, mi mente y mi espíritu crezcan sanos. Y si no es así, tengo derecho a que me curen y cuiden.

A que respeten mi cultura, idioma y creencias. Y a que no me discriminen por ello.

Tengo derecho a participar, informarme, expresarme, y a que tomen en cuenta mis intereses y opiniones.

A que me ayuden cuando esté en peligro o me traten mal: nadie puede obligarme a hacer trabajos que me perjudiquen ni tampoco pueden dañar mi cuerpo.

Tengo derecho a una educación gratuita y a desarrollar todas mis capacidades. Y, con mayor razón, a tener una vida plena si esas capacidades son diferentes a las del resto.

Tengo derecho a jugar, a divertirme y a descansar.

A crecer en un planeta limpio: respirar aire puro, caminar entre los árboles, chapotear en el mar.

A juntarme con amigos y a aprender, junto a ellos, a hacer de este mundo uno solidario, amistoso y justo.

Yo, porque soy niña o niño, tengo derecho a todo esto y mucho más*.

ALGUNOS DATOS:

* La Convención sobre los Derechos del Niño/a es el tratado internacional que más países han ratificado.

* Solo Somalia y E.E.U.U. no la han ratificado.

* La primera Declaración sobre los Derechos del Niño/a la redactó una mujer: Eglantyne Jebb, fundadora de Save the Children.

* Antes de la actual convención, hubo dos declaraciones de los derechos del niño/a. La primera tenía solo cinco artículos, la segunda 10, y la actual tiene 54.

* Todos estos derechos se reúnen en la Convención sobre los Derechos del Niño/a de la Organización de las Naciones Unidas en 1989, donde se reconoce que los niños y niñas merecen una protección especial.

Z

ZILLENIAL

A quienes nacieron entre mediados de la década de los 90 hasta 2010, les tenemos noticias: ¡son *zillennials* o miembros de la "generación Z"! Han usado cotidianamente plataformas digitales e internet desde pequeños, y se comunican a través de ellas con el mundo. ¿Pero qué implica ser *zillennial*? Significa tener características muy esperanzadoras para el futuro: estar abierto a la diversidad del entorno, ser creativo y solidario, protector del medioambiente, auténtico, trabajar de forma colaborativa, estar sensibilizado respecto a la desigualdad social, hacer oír la propia voz a través del activismo y usar la tecnología para generar pequeños cambios que repercutan en el planeta.

Los *zillennials* no esperan a que las soluciones toquen su puerta, sino que las crean. Participan haciendo, y no solo opinando. Es una generación que se cuestiona cotidianamente sobre lo que no le parece bien para mejorarlo, por lo que en ella veremos a muchos héroes y heroínas anónimos que harán de este mundo uno más humano, construyéndolo paso a paso, día a día.

> ¿Te identificas con algunas de las características de los *zillennials*?

¿Qué generaciones han existido antes y cuáles fueron sus contextos históricos?

- **Generación silenciosa** (1930-1948): época de conflictos bélicos.

- *Baby boom* (1949-1968): vivieron en un contexto de paz y explosión demográfica.

- **Generación X** (1969-1980): nacieron en el auge del consumismo y desarrollaron un pensamiento más crítico que sus antecesores.

- **Generación Y** o *millennials* (1981-1993): inicio del mundo digital.

- **Generación Z** (1994-2010): expansión masiva de internet.

- **Generación Alfa** (2010-2025): nacieron y viven conectados digitalmente.

Grandes hitos de la humanidad

Firma de la **Carta Magna** en Inglaterra, primer antecedente que reconoce los derechos humanos.

Consolidación de los **Imperios mexica e inca**.

Llegada de **Cristóbal Colón** a América.

1215

1430

1492

II Guerra Mundial entre las potencias del Eje (Alemania, Italia y Japón) y los Aliados (Estados Unidos, Francia, Reino Unido y Unión Soviética) por afanes de expansión y consecuencias de la I Guerra Mundial.

Marcha de la sal, manifestación pacífica en la lucha por la independencia de India respecto de Inglaterra, liderada por **M. Gandhi**.

Revolución rusa contra el régimen monárquico de los zares, estableciendo un gobierno de ideas socialistas y comunistas.

1917

1930

1939-1945

1945 **Bombardeos atómicos** de E.E. U.U. a las ciudades japonesas de Hiroshima y Nagasaki. Tal fue el daño causado, que marcó el fin de la II Guerra Mundial.

○ Matanza de
Tóxcatl, **masacre
de los españoles**
en contra el
pueblo mexica.

1520

1536

Guerra de
Arauco, donde
los mapuche
se enfrentan
a la invasión
española. Este
pueblo resistió el
dominio colonial
durante siglos.

○ I Guerra Mundial
pone fin a las
monarquías
absolutas.

○ Haití es el
primer país
del mundo
en **abolir la
esclavitud.**

1789

914-1918 **1857** **1803**

Revolución francesa.
Se inicia la democracia
moderna con sus
principios de igualdad,
libertad y fraternidad.

○ El 8 de marzo
miles de **mujeres
protestan** en
Nueva York por las
míseras condiciones
laborales.

Guerra Fría entre EE. UU. y la Unión Soviética, una carrera armamentista por aumentar su poder e imponer sus ideologías en el mundo.

Declaración Universal de los **Derechos Humanos**.

1947-1991

1948

Nelson Mandela asume como presidente de Sudáfrica, poniendo **fin al sistema de segregación racial**.

Accidente nuclear de **Chernóbil**, uno de los peores desastres medioambientales de la historia.

Convención sobre la Eliminación de Todas las Formas de **Discriminación Contra la Mujer** por la Asamblea General de la ONU.

1986

1979

1990

Protocolo de Kioto, acuerdo para reducir los gases de efecto invernadero.

1994

2000

2005

2012

Primeros **movimientos mundiales antiglobalización**, comenzando por el levantamiento indígena en México (movimiento zapatista) que exige respeto a sus derechos.

Declaración del **Milenio de las Naciones Unidas** para 2015, que llama a luchar contra la pobreza, hambre, enfermedad, analfabetismo, degradación de la naturaleza y discriminación contra la mujer.

Malala Yousafzai, defensora del derecho de las niñas a la educación, sufre un ataque en un autobús en Pakistán.

1947

Se concede el **derecho a voto a las mujeres** para las elecciones para las elecciones municipales en México.

Coexistencia de varias **dictaduras latinoamericanas** —por ejemplo, en Paraguay, Brasil, Chile y Argentina— en el contexto de la Guerra Fría.

1989

Mayo del 68, liderada por jóvenes en Francia debido a los conflictos bélicos y vulneraciones a los derechos humanos, generando levantamientos mundiales.

Rosa Parks decide sentarse en el "sector de blancos" de un autobús en Alabama, transformándose en un ícono de la lucha de los derechos civiles de los negros.

968 **1955**

Conferencia de París sobre el Clima (COP21) para combatir el cambio climático.

El 18 de octubre se detona un **estallido social en Chile** por el alza de la tarifa en el transporte público, desencadenando manifestaciones en contra de las desigualdades sociales. Los protagonistas fueron jóvenes de tu edad.

2015 **2019** **2020-2021**

PARIS 2015
COP21·CMP11

Se expande en el mundo la **pandemia por Covid-19**, que parte en diciembre de 2019 y provoca millones de muertes.

Declaración Universal de los Derechos Humanos

Documento proclamado por la Asamblea General de las Naciones Unidas (ONU) en 1948, luego de los horrores vividos en la II Guerra Mundial. En sus 30 artículos se establece un ideal común de derechos básicos para toda la humanidad, los cuales deben ser promovidos y protegidos por toda la comunidad internacional.

Energías renovables

Fuentes de energía que usan recursos naturales que se renuevan, como el sol, las olas, el viento, el agua ¡y hasta el calor que emerge desde el interior de la tierra! Estas fuentes son inagotables y generan muy pocos contaminantes.

Estereotipo

Ideas, creencias u opiniones preconcebidas y aceptadas por un grupo de individuos sobre cómo deben comportarse ciertas personas según su etnia, nacionalidad, sexo, edad u orientación sexual.

Humanismo

Conjunto de ideas filosóficas centradas en que la sensibilidad e inteligencia humana pueden satisfacerse sin tener que aceptar las explicaciones religiosas. Señala que nuestra razón e intelecto y su cultivo nos permite ser libres y, al mismo tiempo, responsables de nuestros actos al poder distinguir el bien del mal. Los valores de la tolerancia, la búsqueda de la verdad, dignidad, solidaridad y curiosidad son elementales para el humanismo.

Ideología

Conjunto de ideas y creencias que caracterizan el pensamiento de una persona, grupo, época o movimiento, entre otros.

Impuesto

Obligación en dinero que se paga al Estado para financiar los servicios y bienes que este entrega a los ciudadanos: desde escuelas y hospitales, hasta puentes y plazas.

Lucro

Ganancia o beneficio que se saca de un negocio o asunto.

Oportunidad

Posibilidad de acceder a ciertos bienes —por ejemplo, ropa, techo y comida— o servicios —como salud y educación— que aseguran nuestro bienestar.

Organización de las Naciones Unidas (ONU)

Organización cuyo fin es mantener la paz y seguridad en el mundo, mejorar la vida de las personas, prevenir guerras y, en general, fomentar las relaciones de amistad y cooperación entre todas las naciones.

Plebiscito

Derecho de los ciudadanos que les permite aprobar o rechazar un asunto político o legal que regirá en el país, el cual se decidirá por la mayoría de votos.

Pueblos originarios

Grupos humanos originarios de América, que anteceden a las corrientes migratorias europeas y que mantienen elementos culturales y sociales comunes.

Sindicato

Asociación de trabajadores que se organiza para defender y promover sus derechos. Velan para que se cumplan las leyes laborales y sociales, por ejemplo, la protección del fuero maternal, el otorgamiento de vacaciones, el pago de un salario justo o que existan condiciones seguras para trabajar.

Socialismo

Sistema económico y social que defiende la propiedad colectiva de los medios de producción y distribución con el fin de que la riqueza no quede sólo en manos de los dueños, sino también de los trabajadores. Para el socialismo, la intervención del Estado es fundamental para regular la economía y reducir la desigualdad social.

Sociología

Ciencia que estudia el funcionamiento, relaciones y fenómenos —ya sean económicos, políticos, artísticos, etc.— de la sociedad, tomando en cuenta su cultura y época histórica.

Unesco

La Organización de las Naciones Unidas para la Educación, la Ciencia y la Cultura, fundada en 1945, tiene como fin contribuir a la paz y seguridad mundial a través de las tres áreas que lleva su nombre.

Personajes que abrieron nuevos caminos

❋ Maya Angelou

Esta multifacética mujer estadounidense hizo de todo: fue una premiada escritora, cantante, actriz, bailarina y activista por los derechos civiles de los negros, narrando en muchos de sus libros su dura infancia y las discriminaciones sufridas a lo largo de su vida por ser afrodescendiente.

❋ Jane Godall

Primatóloga, etóloga y antropóloga de origen británico. Nació en Londres en 1934 y ha dedicado su vida al estudio de los primates. Vegetariana por convicción y activista en la defensa de los derechos de los animales, se ha opuesto al uso de ellos en investigaciones médicas, zoológicos y deportes.

❋ Helen Keller

Activista sordociega estadounidense nacida en 1880. Fue la primera persona sordociega en recibir un título universitario. Gran filántropa, colaboró en la Fundación Americana para Ciegos, promovió los derechos de las mujeres, los trabajadores y de las personas en situación de discapacidad.

❋ Martin L. King Jr.

Activista estadounidense nacido en 1929. Su corta vida la dedicó a luchar por los derechos de los negros, labor por la cual ganó el Premio Nobel de la Paz. En su histórico discurso "Yo tengo un sueño" señaló: "Yo tengo el sueño de que mis cuatro hijos pequeños vivirán un día en una nación donde no serán juzgados por el color de su piel sino por el contenido de su carácter", transformándose así en un verdadero emblema en la lucha por la causa de los negros.

❋ Abraham Lincoln

Presidente de E.E. U.U entre 1861-1865. Su principal aporte a la historia de su país fue la abolición de la esclavitud y la unificación de este tras la guerra civil o de Secesión.

❋ Nelson Mandela

Abogado, activista y líder político contra el *apartheid*. Nació en 1918 en Sudáfrica, y tras largos años de lucha fue enjuiciado por conspiración contra el Gobierno en 1963, pasando 27 años en la cárcel. En 1993 recibió el Premio Nobel de la Paz, y un año después se trasformó en el primer presidente negro de Sudáfrica, convirtiéndose en un líder para la unidad en su país.

* Karl Marx

Nacido en 1818, fue economista, filósofo, sociólogo, historiador, periodista y político comunista alemán. Junto a Friedrich Engels, se le reconoce como el padre del socialismo científico, el comunismo moderno y el marxismo. Sus obras más conocidas son *Manifiesto del Partido Comunista* y *El capital*. Sostuvo que las sociedades avanzaban mediante la lucha de clases y criticó al capitalismo, que beneficiaba casi exclusivamente a los dueños de los medios de producción. Creía que llegaríamos a una sociedad sin Estado ni clases llamada comunismo.

* Margaret Mead

Antropóloga nacida en 1901 que puso en duda la visión biologista sobre la división del trabajo en la familia moderna basada en la diferencia entre el comportamiento productivo de los hombres y expresivo de las mujeres. Señaló que los roles y conductas sexuales varían según los contextos socioculturales, siendo precursora del concepto de género.

* Rigoberta Menchú

Líder y activista indígena maya guatemalteca. Nació en 1959 y ha dedicado su vida a la lucha por los derechos de los pueblos originarios. Recibió el Premio Nobel de la Paz en 1992.

* Gabriela Mistral

Poeta, profesora y diplomática chilena nacida en 1889. Fue la primera iberoamericana en recibir el Nobel de Literatura. Tuvo importantes cargos en organismos internacionales, residiendo en diferentes países de Europa y en Estados Unidos. Su vida, obra y conciencia social dejaron una huella imborrable en la historia de Latinoamérica.

* Maria Montessori

Primera médica y educadora italiana nacida en 1870. Dedicó su vida a la educación, trabajando con niños y niñas en situación de discapacidad y de escasos recursos. Creó el modelo educativo Montessori, orientado a liberar todo el potencial intelectual, físico y espiritual de niños y niñas para su desarrollo integral.

* Sri Pandit Jawaharlal Nehru

Político indio que vivió entre 1889 y 1964. Luchó por la independencia de su país del Imperio británico y fue la primera persona en asumir como primer ministro de la India el año 1947.

* Chimamanda Ngozi Adichie

Escritora y novelista feminista nacida en Nigeria en 1977. Cuenta con numerosos libros, dentro de los cuales está *Todas deberíamos ser feministas*, basado en una conferencia que dio en 2012 sobre los desafíos del feminismo en el siglo 21 y que tuvo gran repercusión.

* Rosa Parks

Nació en 1913 en Detroit, E.E. U.U. En 1955 se transforma en ícono del movimiento de los derechos civiles de los negros tras sentarse en el sector de personas blancas del autobús y negarse a ceder su asiento a un hombre blanco, razón por la cual fue encarcelada. Tras esto, Martin Luther King inicia una protesta que logra terminar con esta norma de segregación racial.

* Eleanor Roosevelt

Nacida en 1884, fue una escritora, política, profesora y activista por los derechos civiles de las mujeres y afroestadounidenses. Primera dama de Estados Unidos entre 1933-1945, delegada de su país en la Asamblea General de la ONU, presidenta de la Comisión Presidencial del Estatus de la Mujer y de la Comisión de Derechos Humanos de la ONU.

* Greta Thunberg

Medioambientalista sueca nacida en 2003. A los 15 años hizo una huelga escolar por esta causa, inspirando a millones de personas a protestar los viernes (*Fridays for future*) para generar conciencia sobre la crisis que vive nuestro planeta a causa del aceleramiento del cambio climático. Por su importante labor ha recibido muchas condecoraciones, y su activismo sigue generando cambios y ganando adeptos.

* Alice Walker

Escritora afroamericana nacida en 1944, cuya literatura se centra en la defensa de los derechos civiles, el medioambiente, la diversidad sexual y racial, y la denuncia de la represión de las mujeres negras. Ganadora del Premio Pulitzer y el National Book Award por su novela *El color púrpura*.

Índice temático

Libros que te recomendamos

> **Amson-Bradshaw, Georgia; Salami, Minna; Saunders** et al.(2020). *¿Qué es el poder? ¿Quién lo tiene y por qué?* Amanuta.

> **Battut, Eric** (2020). *¡Abajo los muros!* Blume.

> **Eggers, Dave y Harris, Shawn** (2019). *¿Qué puede hacer un ciudadano?* Hueders.

> **Equipo Plantel** (2015). *Cómo puede ser la democracia.* Media Vaca.

> **Equipo Plantel** (2015). *Las mujeres y los hombres.* Media Vaca.

> **Ewing, Chana G.** (2019). *An ABC of Equality.* Quarto Publishing.

> **Fons Duocastella, Clara** (2020). *Malala Yousafzai. Mi historia es la historia de muchas chicas.* Akiara Books.

> **Fuentes, Claudio** (2017). *Pequeña historia de un desacuerdo.* Ekaré Sur.

> **Halligan, Katherine** (2019). *50 historias de mujeres y niñas que cambiaron el mundo.* Contrapunto.

> **Jackson, Vinka** (2015). *Tod@s junt@s.* B de Block.

> **Jeffers, Oliver** (2020). *Lo que construiremos.* Fondo de Cultura Económica.

> **Llorca, Francisco** (2016). *Pequeños grandes gestos por la tolerancia.* Alba Editorial.

> **Meunier, Henri y Choux, Nathalie** (2011) *¡Al furgón!* Takatuka.

> **Minhó Martins, Isabel** (2017). *¡De aquí no pasa nadie!* Takatuka.

> **Parra, Sergio.** (2016). *Las chicas son guerreras. 26 rebeldes que cambiaron el mundo.* Penguin Random House.

> **Paul, Caroline y Tamaki, Lauren** (2020). *Soy activista. Guía práctica para cambiar el mundo.* Flamboyant.

> **Rodrigues, André; Ribeiro, Larissa y Desgualdo, Paula.** (2019). *Las elecciones de los animales.* Takatuka.

> **Romero, Ana y Gallo, Valeria** (2019). *Nosotras/Nosotros.* Fondo de Cultura Económica.

> **Sanjin, Ma y Méricourt, Alice** (2020). *El país de los ratones.* Hueders.

> **Strack, Emma** (2018). *Discrimination. Inventaire pour ne plus se taire.* De La Martinière Jeunesse.

> **Wilson, Jamia** (2019) *El poder es tuyo.* Contrapunto.

> **Winter, Jeanette** (2020). *Greta. La lucha de una niña por salvar el planeta.* Editorial Juvent.

Fuentes consultadas

> **Alonso, M. Nieves; Blum, Andrea; Cerda, Kristov et al**. (2005). "Donde nadie ha estado todavía: Utopía, retórica, esperanza". *Atenea* 491, p. 29-56.

> **Arnoletto, Eduardo** (2007). *Glosario de conceptos políticos usuales*. Eumednet.

> **Audi, Robert** (editor) (2004). *Diccionario Akal de filosofía*. Ediciones Akal.

> **Belafonte, Harry** (2019). *We Are the Change. Words of Inspiration from Civil Rights Leaders*. Chronicle Books.

> **Bengoa, José** (2006). *La comunidad reclamada*. Identidades, utopías y memorias en la sociedad chilena. Catalonia.

> **Biblioteca del Congreso Nacional** (2018). Guía de formación cívica. Departamento de Servicios Legislativos y Documentales, Programa de Formación Cívica.

> **Camps, Victòria** (2011). "El sentido del civismo". *Revista Civismo* N° 6: Las claves de la convivencia, p. 15-21.

> **Durozoi, Gérard y Roussel, André** (1994). *Diccionario de filosofía*. Teide.

> **Espiritusanto, Óscar** (2016). "Los auténticos nativos digitales: ¿estamos preparados para la Generación Z?". *Revista de Estudios de Juventud* N° 114.

> **Ferrater Mora, José**. (1999). *Diccionario de Filosofía*. Ariel Filosofía.

> **Freeman, John** (2019). *Dictionary of the Undoing*. Farrar, Straus & Giroux.

> **Gobierno de Chile** (2015). *Constitucionario*. Gobierno de Chile.

> **Levenson, Eleanor** (2020). *World Politics in 100 Words*. Quarto Publishing.

> **Puyol, Ángel** (2018). "Sobre el concepto de fraternidad política". *Revista Internacional de Filosofía*, suplemento N° 7 , p. 91-106.

> **Rawls, John** (1978). *Teoría de la justicia*. Fondo de Cultura Económica.

> **Schultze, Rainer-Olaf** (2014). "El bien común". *Fundamentos, teorías e ideas políticas* vol. 1, cap. 10, p. 157-165. Universidad Nacional Autónoma de México.

> **Squella, Agustín** (2016). ¿En que hemos llegado a ser iguales?" en *Igualitarismo: una discusión necesaria*, Centro de Estudios Públicos.

> **Touraine, Alain** (2002). "From Understanding Society to Discovering the Subject". *Anthropological Theory*, 2(4), p. 387-398.

> **Valcárcel, Amelia** (2001). "La memoria colectiva y los retos del feminismo". Unidad Mujer y Desarrollo, Cepal.

> **Weale, Albert** (2007). *Democracy*. Palgrave Macmillan.

> **Weber, Max** (1982). *La política como vocación*, en *Escritos políticos II*. Folios Ediciones.

Ángeles Quinteros

(Santiago de Chile, 1980)

Estudió Derecho, Literatura y Lingüística Hispanoamericana, un máster en Edición de libros en la Universidad Diego Portales-Pompeu Fabra, y un máster en Literatura Infantil y Juvenil en la Universidad Autónoma de Barcelona.

Ha sido antologadora de libros infantiles y juveniles, y profesora de posgrado de Literatura infantil y de edición de libros. Asimismo, trabajó como editora en Aguilar, Alfaguara Infantil y juvenil, Planeta y Contrapunto. Actualmente desarrolla proyectos editoriales independientes, siempre ligados a lo que más le gusta: los libros para niñas y niños.

Junto a la ilustradora Ángeles Vargas ha publicado los libros *Un año* (Premio Fundación Cuatro Gatos 2019), *Amor Animal* y *¡Fiesta!* (Premio White Ravens 2020).

Su palabra favorita es "revolución", pues dentro de ella caben muchas personas, sobre todo las valientes.

Valentina Insulza

(Santiago de Chile, 1980)

Es abogada y máster en Políticas Sociales de la London School of Economics. Desde pequeña fue fanática de los libros y una luchadora por las causas justas. Se ha desempeñado en cargos directivos del sector público y privado: fue directora ejecutiva en la Fundación Trascender, así como también directora regional metropolitana del Fondo de Solidaridad e Inversión Social (Fosis). Asimismo, fue presidenta de la Red de Voluntarios de Chile y fundadora de Ciudadano Inteligente. Ha sido profesora universitaria en cursos sobre sociedad civil, además de asistente de investigación en Londres y en el Centro de Políticas Públicas de la Universidad Católica de Chile. Fundadora y directora de la Fundación Observatorio de Violencia Obstétrica de Chile, se declara feminista y amante de los animales.

Su palabra favorita es "activismo", pues nos recuerda que con compromiso y pequeñas acciones se puede cambiar el mundo.

Sandra Conejeros

(Loncoche, Chile, 1983)

Estudió Diseño en la Pontificia Universidad Católica de Chile, donde también se diplomó en Ilustración y Narrativa autobiográfica. Ha realizado ilustraciones para revistas, materiales educativos, packaging, manuales, libros y portadas, entre otros.

Es autora de *Busco Encuentro* y *Cuántos cuento*, y ha ilustrado los libros *La ballena que imaginaba* y *Alicia en el país de Biblioniños* para el Centro Bibliotecario de Puente Alto. Su trabajo ha sido expuesto en Chile, Argentina, Colombia, México y Polonia. Asimismo, sus ilustraciones han sido seleccionadas en el VI Catálogo Iberoamericano de Ilustración y en el catálogo Latin American Ilustración. Además, obtuvo una mención honrosa en el iJungle Illustration Awards, fue galardonada con el Perro de Plata del 8° Salón Imagen Palabra de Bogotá, y fue finalista en la Bienal de Diseño de Perú en 2019.

Su palabra favorita es "tolerancia", pues está convencida que si todos nos aceptamos con nuestras diferencias, podemos construir un ambiente más sano y estable.

Un agradecimiento especial a Ana Garralón,
María José Ferrada, Sara Bertrand y Andrea Viu
por las lecturas.

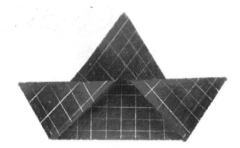

¡PLÁNTALO TÚ!
un alfabeto humanista
Impreso en los talleres de Impresora Tauro, S.A. de C.V.
Av. Año de Juárez 343, Col. Granjas San Antonio, Iztapalapa,
C.P. 09070, Ciudad de México
Impreso y hecho en México / *Printed and made in Mexico*